Les animaux de Lou

Vole, Petit Galop!

...pour les enfants qui apprennent à lire

Le texte à lire dans les bulles est conçu pour l'apprenti lecteur. Il respecte les apprentissages du programme de CP :

le niveau **JE DÉCHIFFRE** correspond aux acquis de septembre à novembre ;

le niveau **JE COMMENCE À LIRE** correspond aux acquis de novembre à mars ;

le niveau **JE LIS COMME UN GRAND** correspond aux acquis de mars à juin.

Cette histoire a été testée à deux voix par Francine Euli, enseignante, et des enfants de CP.

Cet ouvrage est un niveau JE COMMENCE À LIRE.

© 2010, Éditions NATHAN, SEJER, 25 avenue Pierre de Coubertin, 75013 Paris
Loi n° 49-956 du 16 juillet 1949 sur les publications destinées à la jeunesse,
modifiée par la loi n° 2011-525 du 17 mai 2011.
ISBN : 978-2-09-202303-7
N° éditeur : 10211586 - Dépôt légal : juin 2010
Imprimé en janvier 2015 par Pollina, Luçon, 85400, France - L70275a

Vole, Petit Galop !

TEXTE DE MYMI DOINET

ILLUSTRÉ PAR MÉLANIE ALLAG

Cette nuit, qui donc réveille Lou
à coups de museau ? C'est Réglisse,
la grande gardienne de la maison !
Lou bondit de sa couette :

Que se passe-t-il ?

Réglisse tire Lou par son pyjama :

– Dans le pré en bas, un poulain
boite à petits pas !

Heureusement, Lou a un super pouvoir,
elle comprend les animaux : comme
le poulain ne trotte pas assez vite,
son maître, l'horrible Jacky Cravache,
veut le vendre à un boucher !

Alors, Petit Galop s'est enfui
et il s'est égratigné une jambe
contre les clôtures en fils de fer !
Lou le rassure :

Ici, tu ne finiras pas
en rôti !

Petit Galop est assoiffé et fatigué.
Lou remplit sa piscine gonflable pour
qu'il puisse boire.Puis elle lui installe
une litière de foin dans le garage.

Le poulain se couche près de Réglisse
et de Macaron, le matou de Lou,
et il hennit à sa nouvelle maîtresse :

Trop bien
ton box !

Le lendemain, Lou se lève de bon matin
pour aller chercher des croissants.
Petit Galop la suit jusqu'à la boulangerie
du village. Clip, clap!

Le pauvre trotte à cloche-pied :
pendant la nuit, sa patte a enflé.

La tante de Lou est vétérinaire.
Elle passe de la pommade
et bande la patte de Petit Galop.

Puis elle lui tend des carottes pleines
de vitamines. Quel appétit!
Petit Galop croque même le chapeau
de paille de tatie Ouistiti.

C'est comme ça
que tu dis merci?

Après une semaine de soins, Petit Galop
est guéri ! Sur la place du marché,
le poulain saute par-dessus la crémière,
et bing ! il atterrit sur ses camemberts.

Quelle graine de sportif!
Lou décide :

Je vais faire de toi
un champion!

C'est parti !

Bien droite sur sa selle et les rênes
en main, Lou le fait bondir par-dessus
les coquelicots.

Réglisse le fait courir le long des
ruisseaux. Et top chrono, tic, tac!
Tatie Ouistiti minute sa vitesse:

Bravo, tu es rapide
comme le vent!

17

Petit Galop est prêt pour le concours
de saut d'obstacles! Le matin
du grand jour, Macaron lui démêle
les crins avec ses griffes, et Lou lui
noue une douzaine de tresses.

Puis, Lou défile parmi les autres chevaux en chuchotant, fière sous sa bombe :

Petit Galop,
c'est toi le plus beau !

Soudain, Petit Galop panique :
au premier rang des spectateurs,
il y a Jacky Cravache !
Face à son ancien propriétaire,
le poulain se cabre :

Il faut que Petit Galop prouve au jockey sans cœur qu'il est devenu le meilleur. Lou lui murmure à l'oreille :

Aussitôt, Petit Galop s'envole
par-dessus la plus haute des barrières.
Lou l'encourage :

Jacky Cravache n'en croit pas ses yeux !
Furieux, il fend la foule en vociférant
sous sa casaque.

Toi,
tu vas voir !

Taratata !

Petit Galop répond à sa façon :

il lâche un gros crottin tout mou

sur les bottes neuves du jockey.

Après tant d'exploits, Petit Galop
a mérité de brouter sans souci !
Face à la maison de Lou,
le poulain hennit dans
son paradis de pissenlits :